891668

D0245108

MWY O
SGYMRAEG

MWY O
SGYMRAEG

Meleri Wyn James (gol.)

**Gyda chyflwyniad a jôcs gan
Tudur Owen**

Argraffiad cyntaf: 2013
© Hawlfraint y Lolfa Cyf., 2013

*Mae hawlfraint ar gynnwys y llyfr hwn ac mae'n anghyfreithlon i
atgynhyrchu unrhyw ran ohono trwy unrhyw ddull ac at unrhyw bwrpas (ar
wahân i adolygu) heb ganiatâd ysgrifenedig y cyhoeddwyr ymlaen llaw*

Gwnaed pob ymdrech i ganfod deiliaid hawlfraint y lluniau yn y gyfrol hon,
a dylid cysylltu â'r cyhoeddwyr ag unrhyw ymholiadau

Dymuna'r cyhoeddwyr gydnabod cymorth ariannol
Cyngor Llyfrau Cymru

Clawr: Y Lolfa

Rhif Llyfr Rhyngwladol:
978 1 84771 720 7

Cyhoeddwyd ac argraffwyd yng Nghymru
ar bapur o goedwigoedd cynaladwy gan
Y Lolfa Cyf., Talybont, Ceredigion SY24 5HE
e-bost ylolfa@ylolfa.com
gwefan www.ylolfa.com
ffôn (01970) 832 304
ffacs 832 782

A diolch i wasanaeth cyfieithu ar-lein:

Flaen argraff: 2013
© Hawlfraint Y Lolfa Cyf., 2013

*The chynhwysiad chan hon llyfr ydy darostwng at hawlfraint, a Mai mo
bod atgynhyrchedig at unrhyw moddion, 'n beiriannol ai electronic, heb 'r
brior, 'n ysgrifenedig chydsynia chan 'r chyhoeddwyr*

The chyhoeddwyr ddeisyf at addef 'r atega of
Cyngor Llyfrau Cymru

Cover arfaetha: Y Lolfa

ISBN: 978 184771 720 7

Published a 'n argraffedig i mewn Wales
on bapuro chan bydew cynaliedig choedwigoedd by
Y Lolfa Cyf., Talybont, Ceredigion SY24 5HE
e-mail ylolfa@ylolfa.com
gwefan www ylolfa com
tel 01970 832 304
fax 832 782

RHAGAIR

Chwarae'n troi'n chwerw?

Prin yw'r llyfrau sy'n achosi i chi chwerthin yn uchel neu hyd at ddagrau. Ond fe ddigwyddodd hynny i sawl un wrth droi tudalennau'r llyfr Cymraeg cyntaf i gasglu gwallau a chamgyfieithu – neu Sgymraegs – at ei gilydd. Roedd yn seiliedig ar yr esiamplau erchyll a doniol sydd wedi ymddangos yng ngholofn Jac Codi Baw yn y cylchgrawn *Golwg* dros y blynyddoedd diwethaf.

Os oedd rhywun yn disgwyl y byddai cyhoeddi'r camgymeriadau yn ddigon i godi cywilydd ar y mudiadau, y cwmnïau a'r cyrff cyhoeddus sydd yn eu creu a'u harddangos mor hyderus, roedd hynny ymhell o fod yn wir.

Mae'r lluniau'n dal i gael eu hanfon yn gyson at *Golwg* drwy lythyr, e-bost neu drydar, yn tynnu sylw at y ffenomenon newydd hon, ac mae'r llithriadau'n dal i fritho'r golofn yn wythnosol. Ac erbyn hyn maen nhw wedi llwyddo i lenwi llyfr arall. Ond o fewn y cloriau hefyd mae ambell arwydd doniol, chwarae clyfar ar eiriau ac enghreifftiau o ddefnyddio'r Gymraeg mewn ffordd Sgampus.

Roedd rhai'n ofni y byddai tynnu sylw at y gwendidau, a holi pa ddiben sydd i gyfieithu os yw'r dehongliad a'r ystyr mor anghywir, yn gwneud mwy o ddrwg nag o les i'r Gymraeg. O leiaf roedd pobol yn gwneud ymdrech i ddefnyddio'r iaith yn y Gymru ddwyieithog.

Efallai fod lle i faddau a chydymdeimlo ag ambell lithriad neu 'deipo' wrth i bobol wneud eu gorau i gael fersiwn Cymraeg yn barod i fynd i'r wasg mewn pryd. Wedi'r cyfan, heb ei fai heb ei eni!

Ond mae dyfodiad y peiriannau cyfieithu sy'n gallu creu rhes o eiriau digyswllt a nonsens ieithyddol yn golygu bod y sefyllfa wedi mynd o ddrwg i waeth.

Mae'n mynd yn fwy anodd derbyn hyfdra cyrff cyhoeddus, a'r difaterwch sy'n golygu nad oes neb wedi bwrw golwg dros eiriau sy'n cael eu hargraffu'n swyddogol. Yn aml mae'r ymdrech yn wastraff ar amser ac adnoddau ariannol prin. Ac mae'n rhyfedd gweld arwydd neu frawddegau gwallus yn dal i fodoli hyd yn oed ar ôl i gŵyn gael ei gwneud.

Felly wrth chwerthin y tro hwn, mae'n werth cofio bod y Sgymraegs yn codi cwestiynau sylfaenol. Ac efallai fod cyfle i rywun ddod i'r adwy a chynnig gwasanaeth cywiro.

Ond nid cyn i'r esiamplau rhwng y tudalennau yma godi gwên, llond bol o chwerthin neu ddeigryn o ddifyrrwch!

Siân Sutton
Golygydd *Golwg*
Tachwedd 2013

CYFLWYNIAD

'Chom tew? d mndi dre fo m8s v k.' Dyna neges destun dderbyniais i gan fy mab yn ddiweddar. Neges Gymraeg ydi hi, o fath, ac mae'n esiampl dda o sut mae'r oes ddigidol yn effeithio ar ein hiaith, y ffordd 'da ni'n cyfathrebu â'n gilydd – a diffyg parch fy mhlant tuag ata i. Dyma gyfieithiad: 'Ti'n iawn, tew? Dwi wedi mynd i'r dre hefo fy mêts, ocê.'

Mae'r iaith Gymraeg wedi wynebu sawl her dros y canrifoedd, a thrwy addasu pan fo angen, a phrotestio neu ddeddfu pan fo raid, mae hi yma o hyd, diolch byth. Ond mae'n bosib bod yr oes ddigidol yn cyflwyno'r her fwyaf a wynebodd yr iaith Gymraeg erioed – y we, neu yn hytrach, y safleoedd a'r *apps* cyfieithu sydd bellach ar gael ar unrhyw gyfrifiadur neu ffôn. Mae dynolryw wedi breuddwydio am y gallu i gyfathrebu â'n gilydd heb rwystrau ieithyddol ers i bobol Oes y Cerrig gwrdd â'r Neanderthals, ers i Columbus gwrdd â'r Incas ac ers i'r person cyntaf o Gymoedd y De deithio i Gaernarfon.

Yn y dwylo iawn, mae'r dechnoleg newydd yma'n gallu bod yn fuddiol iawn. Ond efo'r cyfuniad perffaith o anwybodaeth, diffyg parch a thwpdra, mae hi hefyd yn gallu bod yn gyfrifol am esiamplau erchyll o Sgymraeg.

7

Peidiwch â derbyn yr esgus mai camgymeriad gweinyddol neu gyfrifiadurol sy'n esbonio'r rhyfeddodau yn *Mwy o Sgymraeg*, achos y gwir amdani yw dydi peiriannau ddim yn gwneud camgymeriadau. Mae rhywun yn rhywle wedi gwneud y penderfyniad ei bod yn gwbwl dderbyniol argraffu, creu arwyddion neu gyhoeddi eu fersiwn nhw o'r Gymraeg heb hyd yn oed ystyried cael sêl bendith rhywun sy'n medru'r iaith.

I fod yn deg, mae nifer o'r safleoedd cyfieithu 'ma yn medru bod yn agos iawn ati, ond mae arbrawf sydyn ar y we yn dangos mor hawdd yw creu Sgymraeg. Wedi teipio'r frawddeg 'Check it with a Welsh speaker' daeth y canlyniad ar amrantiad: 'Wirio gyda uchelseinydd Cymraeg.' Mae'n ymddangos felly, hyd nes y bydd cyfrifiaduron yn gallu atal pobol ddi-glem rhag eu defnyddio, a thra bydd Cymry yn berchen ar gamerâu, y byddwn yn gweld 'mwy o Sgymraeg' am flynyddoedd i ddod. Felly, unwaith eto, gwahoddir chi i ryfeddu, gwingo a gwylltio, ond hefyd i fwynhau ein casgliad diweddaraf. Gofynnwn yn garedig i chi barhau i fod yn wyliadwrus a chofnodi'r doniol a'r dychrynllyd, y trychinebus a'r twp, er mwyn i Gymru gyfan weld a gweiddi 'Sgymraeg!'

Hwyl fawr
(Neu, fel mae'r mab yn dweud, 'Wlai d m8.')

Tudur Owen
Tachwedd 2013

Byddech yn gnau i beido â defnyddio'r gofod hwn i hysbysebu eich busnes.

adverticket
creative advertising solutions

Ffoniwch ni ar 01482 371270
neu ewch i'n gwefan yn
www.adverticket.com

4635961

Pwy sy'n 'gnau'?

Cownter pizza newydd

e sy yin pizzss ''rys yn usyl yu
psrstoi yn y siop s fisllwuh yu
usyi yn boyth hyw yn oyw.

Cafd Fea ydd

i ywym yn uofiinio yin holl bri'
brywsu'n ''rys wrth iwwynt flsyi yu
hsruhybu, 'yily byth sm siw hyibio
sm 'ryuwsst, uinio nyu swpyrG

Popty Fea ydd

Dim onw blsww h rywyinifl s
wwy 'nywwiwn i wnyuw bsrs
''rys yn yin popty.

Cownter deli newydd

Cynhyruhir yin uifi mouh trwy
wwy'nywwio mouh h rywyinifi bwyw
rhywwiw yr i l hCA sy'n usyl yu
msflu yn yr swyr sfloryw, s uhsi''
yi worri â lisw yn y 'sn s'r lly.

Dyma sy'n digwydd pan 'da
chi'n teipio efo menyg bocsio.

Away mewn Rheolwr

Aaa... y garol Gymraeg enwog yna –
'Away mewn Rheolwr'.

'R oeddwn yn methu coelio fy llygaid pan welais fan ac **'S4C Carpets'** ar yr ochrau. 'Doedd bosib' bod pethau mor wael ar ôl torri'r grant nes bod rhaid iddynt ddechrau gwerthu carpedi! Daeth eglurhad yn ddiweddarach—Siop Garpedi **'Spoilt for Choice'** yn Llandrillo yn Rhos oedd dan sylw!

Rydym hefyd yn gwneud rhaglenni teledu.

Mae angen gwella fy syllafu

I really need to improve my spelling

Dwi am gael TGAU ym mathemateg

I've always wanted to do GCSE Maths

Dwi am wella fy sgiliau i helpu fy mlant gyda'u gwaith cartref

I'd like to improve my skills to help my children with their homework

Beth bynnag yw eich penderfyniad gwnewch e'n Adduniad am y Flwyddyn Newydd I wella eich Sgiliau Hanfodol. Cysylltwch ag:

For whatever reason you decide, make it your New Year's Resolution to improve your Essential Skills. Contact:

Andrea Sykes
Canolfan Dysgu Cennen/
Cennen Learning Centre
Iscennen Road
Ammanford/
Rhydaman SA18 3BE
01269 598339

Raine Mason
Canolfan Dysgu Caerfyrddin
Carmarthen Learning Centre
Iscennen Road
Caerfyrddin / Carmarthen
SA31 1EU
01267 224915

Eve Jenkins
Dychwelyd i Ddysgu/
Return to Learn
Brookfield House
Vauxhall. Llanelli
SA15 3BD
01554 776528

Cyngor Sir Gâr
Carmarthenshire
County Council

Dwi'm yn meddwl bydde'ch 'mlant'
yn gwerthfawrogi eich help 'syllafu'.

Erbyn iddyn nhw ddadansoddi hwn,
mae'n debyg bod tri o bobol wedi diflannu i'r tyllau.

Iawn, mi rybuddia i nhw rŵan –
'Hei! Mae 'na Sgymraeg yn fan hyn!'

Beth am wneud 'Dadansoddi Sgymraeg'
yn gamp Olympaidd?

From: PRYDERI JONES
Sent: 03 September 2013 09:16
To: undisclosed recipients:
Subject: Trist Trip!!!!!!!!!!!!!!!! (Os gwelwch yn dda Help) PRYDERI JONES

Bore Da,

Rwy'n ysgrifennu hyn gyda Tears yn fy llygaid, yr wyf yn gwneud taith i Manila (Philippines) ac mae fy bag dwyn oddi wrthyf gyda fy pasbort ac eitemau personolynddynt. Mae'r llysgenhadaeth wedi cyhoeddi pasbort dros dro i mi yn unig, ond mae'n rhaid i mi dalu am docyn ac yn setlo biliau gwesty gyda fy rheolwr.

Rwyf wedi cysylltu â fy banc ond byddai'n mynd â fi 3-5 diwrnod gwaith i gael gafael ar arian yn fy nghyfrif, y newyddion drwg yw y bydd fy nhaith yn gadael yn fuan iawn, ond mae gennyf broblemau setlo biliau gwesty rheolwr a'r gwesty na fydd yn gadael i mi adael nes setlo'r biliau, Fi angen eich help / BENTHYCIAD ariannol acyr wyf yn addo i wneud yr ad-daliad ar unwaith i fynd yn ôl adref, rydych yn fy dewis olaf ac yn gobeithio, os gwelwch yn dda gadewch i mi wybod os gall i ddibynnuar chi ac rwyf am i chi cadw edrych ar eich e-bost gan mai dyma'r unig ffordd y gallwch ei gael i mi.

Os gwelwch yn dda ateb yn ôl a gadewch i mi wybod os gallwch chi roi benthyg yr arian i mi er mwyn i mi roi'r manylion angenrheidiol, bydd angen i chi gael yr arian i mi drwy undeb gorllewinol trosglwyddo arian i chi, byddaf yn yr wyf yn addo i dalu i chi yn ôl cyn gynted ag y fel ag yi cyrraedd adref.

Y GOLEUAD
Golygydd Pryderi Llwyd Jones

'Tria eto' yn enw addas i'r gamp erbyn meddwl.

Dyna pam roedden ni'n dysgu
adnodau yn y capel felly.

Allech chi Fyw Yma Rhent
Blwyddyn am ddim Next!! ....

.... Meddech chi Sut?!

.... Drwy Argymell
Ffrindiau Peidiwch byth â hynny
wedi byw yn Fyw Liberty Eiddo
Cyn!

.... Byddwch yn derbyn
RHENT Wythnosau AM DDIM I
Bob Person chi Argymell!

Mae'n syml â hynny!

Mae'r cartŵn yn fwy addas
nag oedden nhw wedi'i fwriadu.

'Chwef-row' = *Road rage*?

We apologise for any inconvenience caused

Rydym yn ymddiheuro am unrhyw gyfleustra a achosir.

Mae'n iawn, ond pwy sydd am lanhau?

Mae'r penwythnos yn dechra'n gynt yn Gymraeg
– gwneud synnwyr i mi.

Mae'n rhaid gofyn wrth y ddesg am weddill y neges.

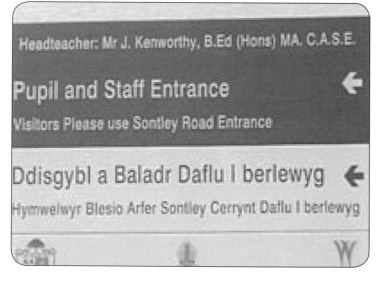

Dewch i fy ngweld ar ôl y wers, os gwelwch yn dda.

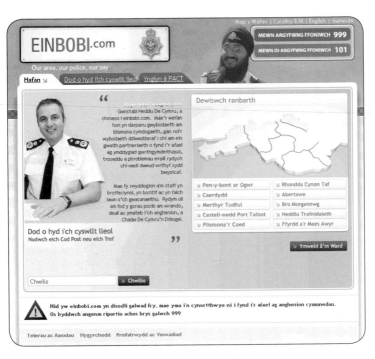

EINBOBI.com

Map y Wefan | Cysylltu â Ni | English | Gwrando

Our area, our police, our say

MEWN ARGYFWNG FFONIWCH **999**

MEWN DI-ARGYFWNG FFONIWCH **101**

Hafan ⊾   Dod o hyd i'ch cyswllt lleol   Ynglyn â PACT

"

Gwnstabl Heddlu De Cymru, a chroeso i einbobi.com. Mae'r wefan hon yn darparu gwybodaeth am blismona cymdogaeth, gan roi'r wybodaeth ddiweddaraf i chi am ein gwaith partneriaeth o fynd i'r afael ag ymddygiad gwrthgymdeithasol, troseddu a phroblemau eraill rydych chi wedi dweud wrthyf sydd bwysicaf.

Mae fy swyddogion a'm staff yn broffesiynol, yn bositif ac yn falch iawn o'ch gwasanaethu. Rydym oll am fod y gorau posib am wrando, deall ac ymateb i'ch anghenion, a Chadw De Cymru'n Ddiogel.

Dod o hyd i'ch cyswllt lleol
Nodwch eich Cod Post neu eich Tref

"

Dewiswch ranbarth

⊾ Pen-y-bont ar Ogwr   ⊾ Rhondda Cynon Taf

⊾ Caerdydd   ⊾ Abertawe

⊾ Merthyr Tudful   ⊾ Bro Morgannwg

⊾ Castell-nedd Port Talbot   ⊾ Heddlu Trafnidiaeth

⊾ Plismona'r Coed   ⊾ Ffyrdd a'r Maes Awyr

⊾ Ymweld â'm Ward

Chwilio   ⊾ **Chwilio**

⚠ Nid yw einbobi.com yn disodli galwad fry, mae yma i'n cynorthwyo ni i fynd i'r afael ag anghenion cymunedau. Os byddwch angenm riportio achos brys galwch 999

Telerau ac Amodau   Hygyrchedd   Preifatrwydd ac Ymwadiad

Map y Wefan | Cysylltu â Ni | English | Gwrando

MEWN ARGYFWNG FFONIWCH **999**

MEWN DI-ARGYFWNG FFONIWCH **101**

Hei, bobi! Beth ydi'r rhif i
ffonio pan dwi'n gweld Sgymraeg?

Os 'da chi'n deall hwn gewch chi fisged.

Washers & Dryers
Fridges & Freezers
Cookers
Vacuums
Kettles & Toasters
Irons

I fyny`r grisiau…

Peiriannau golchi a synchu
Rhewgellau & Oergellau
Poptai
Sugnwyr llwch
Tegellau & Tostwyr
Heyrn smwddio

Diwrnod da i 'synchu' dillad.

plumbing
offer plynwr

Curved

Curved towel
warmer

£119

Cynnes… ond ddim cweit.

Mae hyn yn ffordd y Big Brands ar

ABRWYSGL

arbedion

Wel o leiaf mae'r saethau'n ddealladwy
(os ydyn nhw'n anelu i'r cyfeiriad cywir).

'And they're off.'

Ai dyma mae cyfryngis yn 'i fwyta?

… ond mae ganddi wyneb del.

"HafddyddArbennig"

I chi'n meddwl am rhoi'r garu iddi ?
I chi'n eisiau rhoi'r gorau iddi ?

Fe fydd arbenigwyr Dim Smygu Cymru yn
cynnal sesiwnau di-dal yn Canolfan Hamdden
Llanelli am 6 wythnos:

Pryd: Dydd Sadwrn 15 o Fehefin – Dydd
Sadwrn 20 o Gorffennaf
Amser: 9.30 – 12 canolddydd
Galwch mewn am cyngor, gwybodaeth a
cymorth.
Croeso i bawb sy'n smygu.
Am fwy o wybodaeth, cysylltwch a

0800 085 2219

Dwi wedi bod isho 'rhoi'r garu iddi' erstalwm,
ond ddim yn gwybod sut i ofyn.

www.hotter.com

I fod yn rhan o dîm Hotter anfonwich eich cv at

hottershoes@mccarthyrecruitment.com neu cysylltwch â ni ar ein llinell recriwtio ar **0161 828 8724**

Anfonwch wich os 'di o'n rhy boeth.

DIM YSMYGU NO SMOKING

Dydy 'n anghyfreithol at fyga i mewn hyn premises

It is against the law to smoke in these premises

Mae hyn yn ddigon i mi ddechra smocio eto
– ond ddim 'mewn hyn'.

Poenydio pobol am siarad Cymraeg? Be nesa!

O wlad y polion ella?

Ydi'r arwyddion yn 'Custom Made'?

Mae Rudolph a Siôn Corn
yn meddwl ei fod o'n ddoniol beth bynnag.

Croeisio.

Ai glanhau'r car maen nhw?

Does byth digon o doiledau ar faes yr Eisteddfod.

Ond pa un sy'n anghywir?

Ydi'r oen 'na'n edrych yn crîpi 'ta fi ydi o?

← **P**

Canolfan Groesawu Myfywyr
Student Welcome Centre

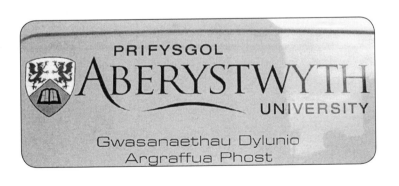

PRIFYSGOL
ABERYSTWYTH
UNIVERSITY

Gwasanaethau Dylunio
Argraffua Phost

Dwi'n gwybod ei fod o wedi dweud
'Gwnewch y pethau bychain' ond dydi
un gair Cymraeg ddim yn ddigon.

Tickets £1

Daffodil Raffle 2009

"Ddiolch 'ch achos yn cyfnerthu ni arlwya
rhyddha yn magu arail boblogi ag cancr."

1st prize £1,000 cash,
2nd prize £250 and
3rd prize £100

"Thank you for helping us provi
nursing care for people with c

DATHLU
GŴYL DDEWI

BWYDLEN

Sudd Oren neu Cawl Cennin

****

Cig Eigion
Tatws rhost,
tatws wedi eu berwi,
Moron a phys

****

Mae 'na rywbeth od yn y cig,
oes 'na ddewis llysieuol?

Brateaith! Ond mae'r hwyaden yn neis.

Please mind your head

Os gwelwch yn dda
meddwl eich pen

Efo pa ran arall o'r corff 'da chi'n meddwl?
Na, peidiwch ateb.

**TALIADAU NEWYDD
YN GRIM YN AWR**

**NEW CHARGES
IN FORCE**

Yndi. Maen nhw'n reit ddiflas, 'yn tydan.

Tow Away Zone Parth Halio Ymaith

456999

Roedd y ffôn yn brysur pan wnes i drio.

Ar eich marciau… Barod… Ewch!

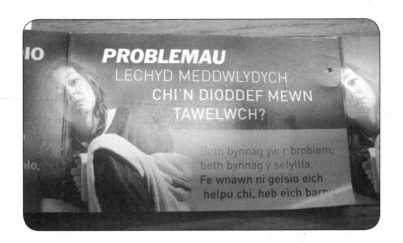

PROBLEMAU
LECHYD MEDDWLYDYCH
CHI'N DIODDEF MEWN
TAWELWCH?

Beth bynnag yw'r broblem,
beth bynnag y sefyllfa.
Fe wnawn ni geisio eich
helpu chi, heb eich barn

Problem pwy yw hi?

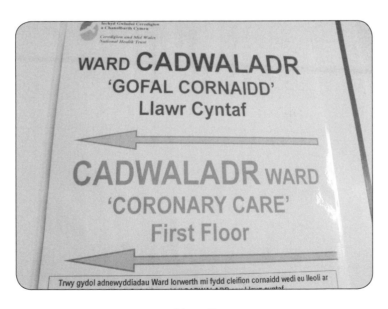

Iechyd Gwladol Ceredigion
a Chanolbarth Cymru
Ceredigion and Mid Wales
National Health Trust

WARD **CADWALADR**
'GOFAL CORNAIDD'
Llawr Cyntaf

CADWALADR WARD
'CORONARY CARE'
First Floor

Trwy gydol adnewyddiadau Ward Iorwerth mi fydd cleifion cornaidd wedi eu lleoli ar

Horni!

Freshly Baked

'Oybi' Wan Cynoibi.

Run ap Iorwerth

(yn ôl capsiwn ar *Newyddion* un noson)

Elan Cross Stephens

(yn ôl papur newydd y *Times*)

Trustee for Wales. Emeritus Professor of Communications and Creative Industries at Aberystwyth University,

Ydi fy 'THÎN' yn edrych yn fawr yn hwn?

Cariad, *what's Welsh for* trôns?

Ar y wefan *'How to say... translation made easy'* mae'n cael ei honni bod y Cymry yn galw *'y-fronts'* yn *'y-blaenau'*... ond tybed?

1) 'trôns' ydy'r gair cywir Cymraeg am ddilledyn isa'r gwryw (yn y gogledd o leiaf);

2) yn ôl y sôn, mae pob Cymro gwerth ei halen yn gwisgo *'thong'* a wyneb Warren Gatland arno ... felly dyw *'y-fronts'* ddim yn bodoli yn y Gymru Gyfoes, i bob pwrpas.

3) onid oedd grŵp pob eisoes wedi bathu'r term cywir sbel yn ôl? Blaenau-Y?

Ewch i http://howtosay.org/en_cy/Y-fronts i weld y cam gyfieithu-trwy-beiriant diweddara' ar y We.

Blaenau? Beth ydi 'boxers' 'ta? Merthyr Tudful?

Llyfrgel?

Tydi tŷ ddim yn gartref heb dipyn o 'Ffasciau'.

Hwn yw'r drws cefn, mae'n amlwg.

Ga i help i ddal fy nghynffon os gwelwch yn dda?

Oes rhywun wedi gweld y llythyren 'w' yn rhywle?
Wnes i anghofio ei rhoi ar dennyn.

Llithro wrth lwytho?

DIM 'IDEA' MYN... E?

Technoleg i'r 'Maer'?

Rargian, sbiwch faint o'r gloch ydi hi!

Does dim amser i dreiglo.

Dim un llawn pobol, felly?

Bysus awdurdodol yn unig.

England, ia? Reit, dewch hogia.

'Da ni'n mynd adra a 'da ni'n mynd â'r Bale efo ni.

Dyna sut mae o'n swnio
pan 'da chi'n ddeud o dan dŵr.

I gadarnhau felly, fydd 'Yuma' yn dod ar ôl 'Golan'.

Wel, mae hwn yn cael ei ychwanegu at y ffeil.

BLANC PAPUR

Rydym Angen Eich Holl
Papurau Newydd a
Chylchgronau
Papur Gwyn a Phapur Swyddfa
Post Dibwys
Yellow Pages
Llyfrau Ffôn

Peidiwch â chynnwys
Deunyddiau Plastig
Gwydr
Metelau
Cardbord
Amlenni

recycle

Palm Recycling

Dwi 'di cael 'Blanc', be sy'n mynd i mewn i fan hyn?

O ia – papur.

Bydd rhywbeth arall yn wlyb mewn eiliad.

'Ymddiheurn' am hynny hefyd.

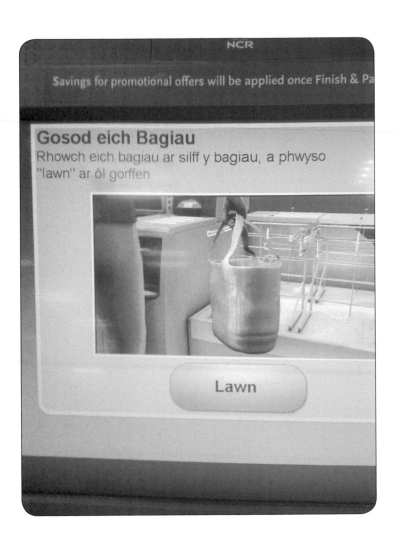

Savings for promotional offers will be applied once Finish & Pa

Gosod eich Bagiau

Rhowch eich bagiau ar silff y bagiau, a phwyso
"lawn" ar ôl gorffen.

Lawn

Mae hwn i fod yn wasanaeth cyflym. Dwi yma ers
hanner awr yn chwilio am y botwm 'lawn'.

Ella wir, ond fasa ni'n dal i guro mewn gêm o rygbi.

Dwi'n meddwl bod fy Sat Nav wedi torri.

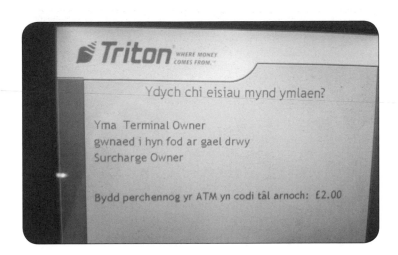

Dim llawer o bleidleisiau i'w cael ar gopa'r Wyddfa.

Yr hen ffordd Gymreig o fyw.

Gorymdaith a Goleuadau Nadolig Caergybi
Holyhead Christmas Parade and Lights

Dydd Sadwrn
24 Tachwedd 2012

Saturday
24 November 2012

Yn cynnwys:
Siôn Corn Parade
Dail Ysgol Gynradd Llanfawr @ 4.30yp

Featuring:
Santa's Parade
Leaves Llanfawr Primary School@ 4.30pm

Troi Goleuadau Nadolig Ymlaen yng
Nghanol Tref @ 5.30pm

Christmas Light Switch On in
Town Centre @ 5.30pm

Gwin cynnes am ddim,
mins peis a chwn poeth

Free mulled wine, mince
pies and hot dogs

Venue Walkway - Adloniant yn fyw

Venue Walkway - Live Entertainment

Celtaidd, cerddoriaeth
draddodiadol a modern gan
y Dodgers Coffin @ 7.30yh

Celtic, traditional and modern music
from the Coffin Dodgers @ 7.30pm

* Hefyd "Camelot y Panto"
perfformio gan y Players Penrhos
yn y Santes Fair Neuadd y Plwyf
@ 7.00yh

*Also "Camelot the Panto"
performed by the Penrhos
Players in St Mary's Parish Hall
@ 7.00pm

* Perfformiadau ar 23 Tachwedd
a 24 - tocynnau £5/£3
o John Morgan - Jones
01407 763962

*performances on 23rd and
24thNovember – tickets £5/£3
from John Morgan – Jones
01407 763962

ROUNDTABLE

BRAND

Rhywun wedi bod ar y 'Gwin cynnes am ddim' yn barod. Oes lluniau o Siôn Corn yn y dail?

Sgynna i'm un o'r rheini beth bynnag.

Hyn gwawl-luniau chymerid
yn ystod 'r adferiad chan 'r yn
adeiladu i mewn 2008 at
Charles Hill a Alice Pyper

These photographs were
taken during the restoration of
the building in 2008 by
Charles Hill and Alice Pyper

Charles ac Alice,
dwi'n meddwl ein bod ni angen sgwrs.

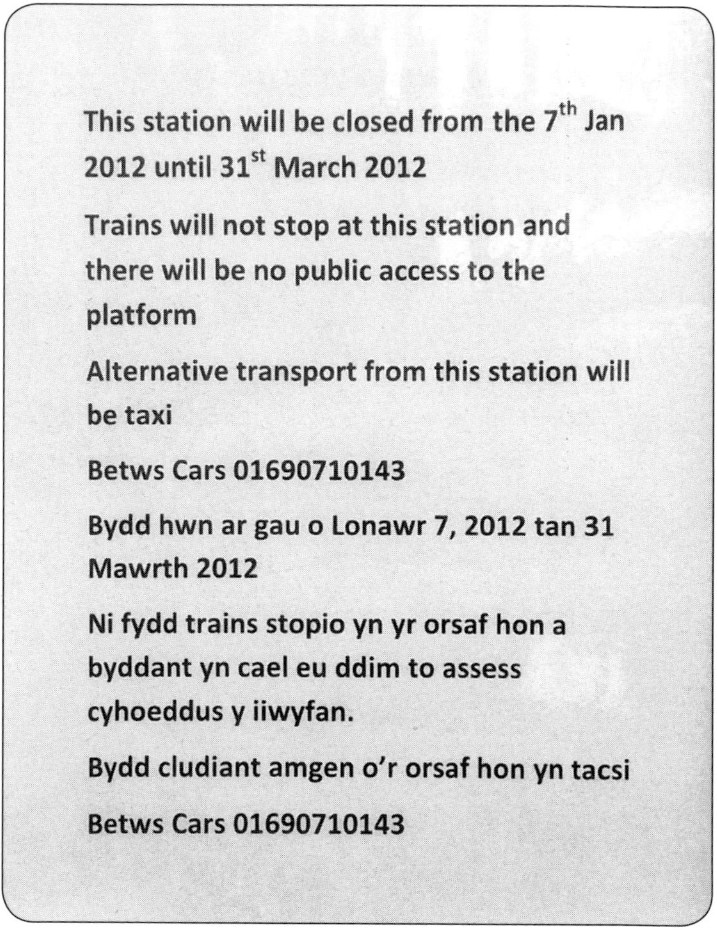

This station will be closed from the 7th Jan 2012 until 31st March 2012

Trains will not stop at this station and there will be no public access to the platform

Alternative transport from this station will be taxi

Betws Cars 01690710143

Bydd hwn ar gau o Lonawr 7, 2012 tan 31 Mawrth 2012

Ni fydd trains stopio yn yr orsaf hon a byddant yn cael eu ddim to assess cyhoeddus y iiwyfan.

Bydd cludiant amgen o'r orsaf hon yn tacsi

Betws Cars 01690710143

Diwedd y daith? Neu diwedd yr iaith?

COEL TYWYDD NEWYDD!

Awyr goch yn yr hwyr,
Melinau gwynt yn llosgi'n llwyr!

Anhy-coel!

Dwi 'di clywed am dynnu blew o drwyn ond mae
rhywun wedi dwyn llythyren o hwn.

ARDAL GODDEF DIM Y GIG

Ni chaiff ymddygiad ymgosodol, treisgar a bygythiol tuag at staff CWM ei oddeff.

Hysbysir yr heddlu am unigolion sy'n ymddwyn yn dresgar tua at staff.

ZERO TOLERANCE ZONE

Aggressive, violent and threatening behaviour towards CWM staff will not be tolerated.

Individuals behaving violently towards staff will be reported to the police.

Ydyn nhw'n trio dweud bod y gig wedi'i chanslo?

**CWMNI AIL-GYRCHU
SIR GAERFYRDDIN**

NI FYDD YN GYFRIFOL AM YNRHIW
DDIFROD I GERBYDAU AR Y
SAFLE HWN.

**CARMARTHENSHIRE
RECYCLING COMPANY**

WILL NOT BE HELD RESPONSIBLE
FOR ANY DAMAGE CAUSED
TO VEHICLES ON THIS SITE

Wneith rhywun 'Ail-gyrchu'
yr arwydd yma, os gwelwch yn dda?

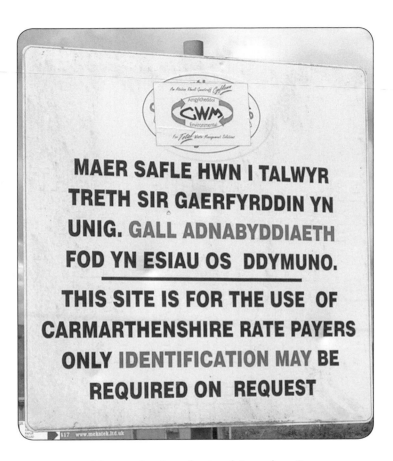

MAER SAFLE HWN I TALWYR TRETH SIR GAERFYRDDIN YN UNIG. GALL ADNABYDDIAETH FOD YN ESIAU OS DDYMUNO.

THIS SITE IS FOR THE USE OF CARMARTHENSHIRE RATE PAYERS ONLY IDENTIFICATION MAY BE REQUIRED ON REQUEST

Maen nhw'n talu trethi am hyn?

Y bysus nesaf i gyrraedd yw:
The next buses due are:

10	Caernarfon Bus Stn	15min
X32	Aberystwyth	15:25
X5	Caernarfon	15:29
1	Australia	15:36
X5	Llandudno Palladium	15:33
Ysbyty Gwynedd		Amser 15:23

Awstralia? Roeddwn i'n meddwl bod gwasanaeth
TrawsCambria yn hir!

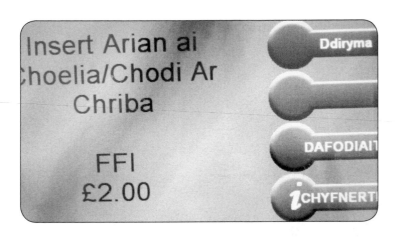

Mae'n swnio'n Wyddelig
os 'da chi'n ddeud o'n gyflym.

Pobol sy'n methu gwneud bara i'r dde?

Lle da i gynnal cyfarfod?

Wel, am siom.

Powys

Rhybudd I Gwsmeriaid

Gofynnir i'r cyhoedd nodi na fydd Cyngor Sir Powys yn derbyn trais geirol na chorfforol yn erbyn unrhyw aelod o staff na chwsmeriaid eraill. Mae gan staff yr hawl i gwasanaethu unrhyw un sy'n ymddwyn yn dreisgar neu'n fygythiol ac efallai y byddant yn ardrodd am unrhyw ddigwyddiad i'r heddlu.

Notice to Customers

Customers are asked to note that Powys County Council will not tolerate verbal or physical abuse towards members of staff or other customers. Staff reserve the right to refuse to serve anyone acting in an abusive or threatening manner and may report such incident to the Police.

Cosb braidd yn eithafol am dreisio geiriol. Dwi'n cadw'n glir cyn i mi gael fy 'ngwasanaethu'.

Dyma orchymyn! Newidiwch hwn, rŵan!

UWCHBEN CEBLAU
OVERHEAD CABLES

Dwylo i fyny. Pwy sy'n gwybod ble mae'r ceblau… ?
Wps… Ella ddim dwylo i fyny.

BRASSERIE

BRON GLWM

Baps neis.

STAINS AND VARNISHES

GWARADWYDD AC ARLLIWIAU

Does gan rai pobol ddim cywilydd.

Os bydd 'Tân' go iawn
fydd hi'n sicr ddim yn unig wedyn.

Ein **cynuned**

Gweithio gydag ysgolion, elusennau a busnesau lleol yn ein hardal leol

Our **community**

Working with local schools, charities & businesses in our local area

Real Lancashire
Eccles Cakes

All shoplifters will be prosecuted

Chi a'ch Baban
Baby & You

Brwdd Rhieni
Parents' Board

Yn Chwith...

Ni all Tesco dderbyn unrhyw gyfrifioldeb am unrhyw niwed neu ddwyn yn y parc cier hwn.

Sorry...

Tesco can not accept any responsibility for any damage or theft from this car park.

Mwy na chwithig, dydi.

Cod y Cwrs	Cwrs	Oriau y Wythnos	Nifer o Wythnosau	Amser Cychwyn	Dyddiad/Dydd Cychwyn
CIG39705A	Cyfriffiaduron ar gyfer Cyflogaeth	5	12	09:15	Dydd Llun 22-09-08
CIG39694A	Defnuddio Rhyngrwyd ac e-bost	3	10	09:15	Dydd Mawrth 23-09-08
CIG39697A	Defnuddio Rhyngrwyd ac e-bost (Lefel 2)	3	10	12:30	Dydd Mawrth 23-09-08
CIG39696A	Procesu Geirian (Mynediad a Lefel 1)	3	10	09:15	Dydd Mercher 24-09-08
CIG39699A	Cyfriffiaduron ar gyfer Cyflogaeth	3	10	12:30	Dydd Mercher 24-09-08
CIG39701A	Cyflwyniad Gamera Digidol	3	10	09:15	Dydd Iau 25-09-08
CIG39702A	Cyflwyniad i Photoshop Elements	3	10	13:30	Dydd Iau 25-09-08
CIG39703A	Bwrdd Gyhoeddi	3	10	09:00	Dydd Gwener 26-09-08
CIG39704A	Cyfriffiaduron ar gyfer Cyflogaeth	3	10	12:30	Dydd Gwener 26-09-08

ColegLlandrilloCymru
Yn Cofrestru Nawr am Medi 2008

Galwch i mewn i siarad gyda Liz
Canolfan Gymuned Ddysgu Llandudno – Ffôn: 01492 546666 est 721
Gostyngiad yn posib *

A'r tymor nesa bydd cwrs wythnos
ar sut i ddefnyddio geiriadur.

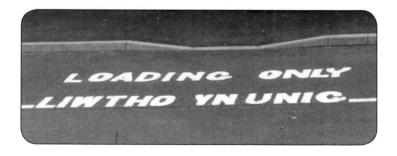

Dim ond 'LIWTHO' sy'n cael parcio yn fan hyn.

Taswn i'n gwybod be ddigwyddodd ella
fedrwn i helpu. Na, erbyn meddwl,
roeddwn i mewn noson tân gwyllt.

Fama mae'r SAS?

Maen nhw'n cuddio tu ôl i'r polyn 'na mae'n rhaid.

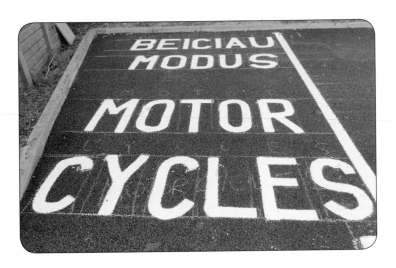

Gwers dda.

Peidiwch sgwennu efo sialc cyn cawod o law.

Gwylit, Gwylit, Lywelyn.

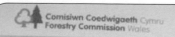
Comisiwn Coedwigaeth Cymru
Forestry Commission Wales

 # Rhybudd!
Warning!

Cacwn i mewn 'r choedwig arwynebedd. Cadw a 'n ddisgwylgar ddisgwyl i maes!

Wasps in the forest area. Keep a watchful look out!

Ffôn:
Tel:

www.forestry.gov.uk/cymru
www.forestry.gov.uk/wales

Rhywun wedi tynnu nyth cacwn i'w ben.

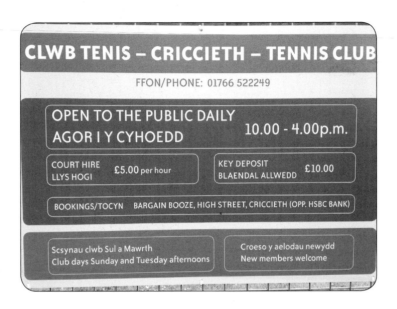

CLWB TENIS – CRICCIETH – TENNIS CLUB

FFON/PHONE: 01766 522249

OPEN TO THE PUBLIC DAILY
AGOR I Y CYHOEDD   10.00 - 4.00p.m.

COURT HIRE
LLYS HOGI   £5.00 per hour

KEY DEPOSIT
BLAENDAL ALLWEDD   £10.00

BOOKINGS/TOCYN   BARGAIN BOOZE, HIGH STREET, CRICCIETH (OPP. HSBC BANK)

Scsynau clwb Sul a Mawrth
Club days Sunday and Tuesday afternoons

Croeso y aelodau newydd
New members welcome

Sbiwch lle mae'r tocynnau i'w cael.

Mae rhywun wedi bod yno'n barod.

Casgliadu Eraill

Gweneir casgliadau ychwanegol drwy gydol y dydd yn ôl y gofyn tan yr amswer olaf a ddangosir.

Beth am ffisho?

'Cyfarfyddiad Stafell'. Cyfarfyddiad? Wedyn 'Stafell'?
Ww-yy misus.

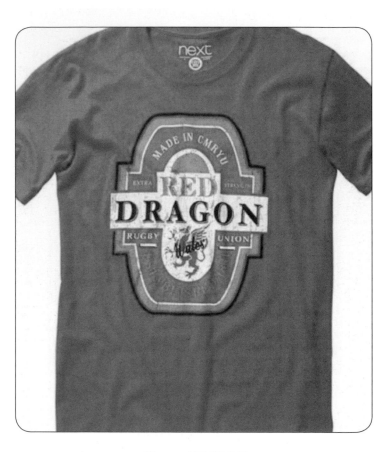

C'mon 'CMRYU'!

Ni fydd y perchnogion yn derbyn unrhyw gyfrifoldeb dros golli cerbyd neu eiddo neu unrhyw niwed a wneir iddynt yma.

Will not the owners is taking no responsibility over losing vehicle or property or no damage and made they here

Talu'r pwyth yn ôl.

COUNCILLOR
FRANK BRADFIELD

Would like to wish a
Merry Christmas and a
Happy New Year

*Nadolig Llawen a
Blwyddyn Newydd
Dda I Bawd*

Diolch, Frank. (Codi bawd.)

Hoffai'r cyhoeddwyr gydnabod eu diolch i'r canlynol am yr hawl i ddefnyddio eu lluniau:

Nic ap Glyn	Stephen Lansdown
Catrin Beard	Gerallt Llewelyn
Ioan Bellin	Robin Llywelyn
Nic Dafis	Gareth Nash
Alwyn Daniel	Catrin Newman
Arwyn Davies	Huw Dylan Owen
Gethin Dwyfor	Karen Owen
Elwyn Edwards	Tudur Owen
Iwan Evans	William Owen
Llion Gerallt	Meilyr Powel
Cyfranwyr *Golwg*	Aled Powell
Lefi Gruffudd	Gareth Pritchard
Iestyn Hughes	David Allen Pugh
Branwen Huws	Gwyn ac Alma Roberts
Siwan Huws	Manon Wyn Roberts
Dylan Iorwerth	Awen Schiavone
Eifion Jones	Barry Taylor
Enid Jones	Alan Thomas
Esyllt Jones	Barry Thomas
Glesni Jones	Cen Williams
Lowri Jones	Ifan Williams
Pryderi Llwyd Jones	Margaret Williams
Sion Jones	Sion Rees Williams

Scymraeg ar flickr –
http://www.flickr.com/groups/scymraeg/

Am restr gyflawn o lyfrau'r Lolfa, mynnwch
gopi am ddim o'n catalog
neu hwyliwch i mewn i'n gwefan

www.ylolfa.com

lle gallwch archebu llyfrau ar-lein.

TALYBONT CEREDIGION CYMRU SY24 5HE
ebost ylolfa@ylolfa.com
gwefan www.ylolfa.com
ffôn 01970 832 304
ffacs 832 782